folio benjamin

D1503752

TRADUCTION DE CHRISTINE MAYER

ISBN : 2-07-054896-1
Titre original : *I Want to Be !*
Publié par Andersen Press Ltd., Londres
© Tony Ross, 1993, pour le texte et les illustrations
© Gallimard Jeunesse, 1993, pour la traduction française,
2003, pour la présente édition
Numéro d'édition : 139703

Loi n° 46-956 du 16 juillet 1949
sur les publications destinées à la jeunesse
1er dépôt légal : janvier 2003
Dépôt légal : octobre 2005
Imprimé en Italie par Editoriale Lloyd
Réalisation Octavo

Tony Ross

Je veux grandir !

GALLIMARD JEUNESSE

« Il est temps que je grandisse ! »
pensa la petite princesse.

« Mais comment faire ?
Peut-être faut-il que je sois différente ? »

« Mais comment donc être différente ? »

« Humm, non ! Je ne crois pas que cela soit
une bonne idée. Je ferais mieux de demander
à Maman. »

– Maman, comment faut-il que je sois ?
demanda la petite princesse.
– Sois gentille... répondit sa maman,

... comme ton papa.

– Papa, comment faut-il que je sois ?
demanda la petite princesse.
– Sois affectueuse... répondit son papa,

... comme ta maman.

– Dis, comment faut-il que je sois ?
demanda la petite princesse.
– Sois propre... répondit le cuisinier.

– J'ai tout cela à retenir ! soupira
la petite princesse. Je dois être gentille,
affectueuse et propre.

– Dis, comment faut-il que je sois ?
demanda la petite princesse.
– Sois courageuse... répondit le général.

« Courageuse... pensa la petite princesse.
Ah oui ! J'ai compris, je dois enlever les
araignées du fond de la baignoire toute seule. »

– Dis, comment faut-il que je sois?
demanda la petite princesse.
– Sois une bonne nageuse...
répondit l'amiral,

... ainsi, tu seras saine et sauve
si ton bateau coule.

– Dis, comment faut-il que je sois ?
demanda la petite princesse.
– Sois intelligente...
répondit le Premier ministre.

– Et en bonne santé, dit le docteur.

– Oh là là ! s'écria la petite princesse... Je dois être gentille, affectueuse et propre, courageuse, bonne nageuse, intelligente et en bonne santé. Je n'ai même pas assez de doigts pour compter tout cela.

– Décidément, c'est bien difficile de grandir !

– Dis, comment faut-il que je sois ?
demanda la petite princesse.
– Je ne sais pas du tout, répondit
la femme de chambre.

– Écoute, la question la plus importante, c'est...
Comment veux-tu être, TOI ?

– Je veux être...

... GRANDE, dit la petite princesse.

– Mais tu ES grande, dit le petit prince.

Fin

L'AUTEUR - ILLUSTRATEUR

Tony Ross est né à Londres en 1938. Après des études de dessin, il travaille dans la publicité. Devenu professeur à l'école des Beaux-Arts de Manchester, il révèle de nouveaux talents dont Susan Varley. En 1973, il publie ses premiers livres pour enfants. Sous des allures de rêveur fantaisiste et volontiers farceur, Tony Ross est un travailleur acharné : on lui doit des centaines d'albums, de couvertures, d'illustrations de fictions (souvenons-nous de la série des « William » de Richmal Crompton…). L'abondance de son œuvre n'a d'égale que sa variété : capable de mettre son talent au service des textes des plus grands auteurs (Roald Dahl, Oscar Wilde, Paula Danziger), il est aussi le créateur d'albums inoubliables.

Tony Ross est amateur de voile. Une grande exposition, intitulée « Des yeux d'enfant », lui a été consacrée à Saint-Herblain au printemps 2001.

Si tu as aimé cette histoire
de Tony Ross, découvre aussi :
Je veux mon p'tipot ! 31
Je veux une petite sœur ! 32
Le garçon qui criait : « Au loup ! » 33
Adrien qui ne fait rien 82
Attends que je t'attrape ! 83
Je veux manger ! 85
Je ne veux pas aller à l'hôpital ! 111
Et dans la même collection :
Les Bizardos 2
La famille Petitplats 38
Le livre de tous les bébés 39
Le livre de tous les écoliers 40
écrits et illustrés par
Allan et Janet Ahlberg
Les Bizardos rêvent de dinosaures 37
écrit par Allan Ahlberg
et illustré par André Amstutz
Madame Campagnol la vétérinaire 42
écrit par Allan Ahlberg
et illustré par Emma Chichester Clark
Ma vie est un tourbillon 41
écrit par Allan Ahlberg
et illustré par Tony Ross
Le petit soldat de plomb 113
écrit par Hans Christian Andersen
et illustré par Fred Marcellino
La machine à parler 44
écrit par Miguel Angel Asturias
et illustré par Jacqueline Duhême
Si la lune pouvait parler 4
Un don de la mer 5
Une nuit au chantier 58
écrits par Kate Banks
et illustrés par Georg Hallensleben
De tout mon cœur 95
écrit par Jean-Baptiste Baronian
et illustré par Noris Kern
Le sapin de monsieur Jacobi 101
écrit et illustré par Robert Barry
L'ange de Grand-Père 63
écrit et illustré par Jutta Bauer
Le monstre poilu 7
Le retour du monstre poilu 8
Le roi des bons 45
écrits par Henriette Bichonnier
et illustrés par Pef
Les cacatoès 10
Le bateau vert 11
Armeline Fourchedrue 12
Zagazou 13
Armeline et la grosse vague 46

Mimi Artichaut 102
écrits et illustrés par Quentin Blake
**La véritable histoire
des trois petits cochons** 3
illustré par Erik Blegvad
Le Noël de Salsifi 14
Salsifi ça suffit ! 48
écrits et illustrés par Ken Brown
Une histoire sombre, très sombre 15
Crapaud 47
Boule de Noël 96
écrits et illustrés par Ruth Brown
Le lion des hautes herbes 92
écrit par Ruth Brown
et illustré par Ken Brown
Pourquoi ? 49
écrit par Lindsay Camp
et illustré par Tony Ross
La batterie de Théophile 50
écrit et illustré par Jean Claverie
J'ai un problème avec ma mère 16
La princesse Finemouche 17
écrits et illustrés par Babette Cole
L'énorme crocodile 18
écrit par Roald Dahl
et illustré par Quentin Blake
Au pays des tatous affamés 107
écrit par Lawrence David
et illustré par Frédérique Bertrand
Fany et son fantôme 77
écrit et illustré par Martine Delerm
**Comment la souris reçoit une pierre
sur la tête et découvre le monde** 66
écrit et illustré par Etienne Delessert
Gruffalo 51
écrit par Julia Donaldson
et illustré par Axel Scheffler
Le Noël de Folette 104
écrit et illustré par Jacqueline Duhême
Fini la télévision ! 52
écrit et illustré par Philippe Dupasquier
Je ne veux pas m'habiller 53
écrit par Heather Eyles
et illustré par Tony Ross
Tiffou vit sa vie 115
écrit par Anne Fine
et illustré par Ruth Brown
Mystère dans l'île 54
écrit par Margaret Frith
et illustré par Julie Durrell
Mathilde et le fantôme 55
écrit par Wilson Gage
et illustré par Marylin Hafner

folio benjamin

C'est trop injuste ! 81
écrit par Anita Harper
et illustré par Susan Hellard
Suzy la sorcière 57
écrit et illustré par Colin
et Jacqui Hawkins
Trois amis 20
Le mariage de Cochonnet 59
écrits et illustrés par Helme Heine
Chrysanthème 60
Lilly adore l'école ! 61
Oscar 62
Juliette s'inquiète 108
écrits et illustrés par Kevin Henkes
La bicyclette hantée 21
écrit par Gail Herman
et illustré par Blanche Sims
Le chat et le diable 65
écrit par James Joyce
et illustré par Roger Blachon
Moi et mon chat ? 114
écrit et illustré par Satoshi Kitamura
Le dimanche noyé de Grand-Père 103
écrit par Geneviève Laurencin
et illustré par Pef
Solange et l'ange 98
écrit par Thierry Magnier
et illustré par Georg Hallensleben
Il y a un cauchemar dans mon placard 22
Il y a un alligator sous mon lit 67
écrits et illustrés par Mercer Mayer
Drôle de zoo 68
écrit par Georgess McHargue
et illustré par Michael Foreman
Bernard et le monstre 69
Noirs et blancs 70
écrits et illustrés par David McKee
Le trésor de la momie 23
écrit par Kate McMullan
et illustré par Jeff Spackman
Oh là là ! 19
Fou de football 24
Voyons... 25
S.M.A.C.K. 42
But ! 71
Tout à coup ! 72
écrits et illustrés par Colin McNaughton
La magie de Noël 73
écrit par Clement C. Moore
et illustré par Anita Lobel
Ma liberté à moi 110
écrit par Toni et Slade Morrison
et illustré par Giselle Potter

Trois histoires pour frémir 75
écrit par Jane O'Connor
et illustré par Brian Karas
Blaireau a des soucis 76
écrit par Hiawyn Oram
et illustré par Susan Varley
Rendez-moi mes poux ! 9
La belle lisse poire
du prince de Motordu 27
Le petit Motordu 28
Au loup tordu ! 78
Moi, ma grand-mère... 79
Motordu papa 80
Le bûcheron furibond 106
écrits et illustrés par Pef
Les aventures de Johnny Mouton 29
écrit et illustré par James Proimos
Une toute petite petite fille 74
écrit par Raymond Rener
et illustré par Jacqueline Duhême
Le chameau Abos 105
écrit par Raymond Rener
et illustré par Georges Lemoine
Amos et Boris 86
Irène la courageuse 87
La surprenante histoire
du docteur De Soto 88
écrits et illustrés par William Steig
Au revoir Blaireau 34
écrit et illustré par Susan Varley
Tigrou 89
écrit et illustré par Charlotte Voake
Vers l'Ouest 90
écrit par Martin Waddell
et illustré par Philippe Dupasquier
Chut, chut, Charlotte ! 1
Maman, ne t'en va pas ! 100
écrits et illustrés par Rosemary Wells
Je veux être une cow-girl 41
Alice sourit 91
écrit par Jeanne Willis
et illustré par Tony Ross
Mon bébé 6
écrit et illustré par Jeanette Winter
Blorp sur une étrange planète 36
écrit et illustré par Dan Yaccarino
Le chat ne sachant pas chasser 93
La maison que Jack a bâtie 94
écrits par John Yeoman
et illustrés par Quentin Blake
Bonne nuit, petit dinosaure ! 109
écrit par Jane Yolen
et illustré par Mark Teague